Paroles de Conteurs

Le louk

à la pistache

Catherine Zarcate

MiNi SYROS

Collection dirigée par Ilona Zanko

Illustration de Rémi Saillard
Conception graphique de Pépito Lopez
ISBN : 274-850491-7

Ce conte est extrait du recueil
Le Loukoum à la pistache et autres contes d'Orient
de Catherine Zarcate, collection « Paroles de conteurs ».

N° Éditeur : 10134084 - DL : juillet 2006
Imprimé en France par EMD S.A.S. - N° 15736

C'était quand le temps
était dans le temps,
dans le passé de l'âge
et des moments, dans l'Antiquité
des temps...
Il y avait un jour, en Orient,
un homme qui était Grand Vizir.
Il était si avisé qu'à son Conseil,
le roi n'écoutait que lui
et ne décidait rien sans son avis.
Les autres vizirs étaient jaloux,
mais « jaloux-verts » !

Tels des RATS, ils se sont dit :

« *Rongeons l'arbre de la confiance du roi !* »

Et jour après jour, mot après mot,
calomnie après calomnie,
ils rongeaient…
Or, un jour d'entre les jours,
notre homme va au bain public,
au hammam. Il entre dans l'eau,
et à un moment donné, sa bague

– qui était un joyau inestimable
que lui avait donné le roi –,
sa bague glisse, à cause du savon.
Mais au lieu de tomber au fond
de l'eau (comme font les bagues),
elle reste à la surface de l'eau !
Notre homme regarde ça
interloqué, et tout à coup
une compréhension soudaine,
tel un éclair, illumine son regard.
Un silence se fait en lui.
Il sourit.

Il récupère vite sa bague
et sort du hammam en courant.
Il court, il court, il court, rentre
chez lui, appelle tous les gens
de sa maison et leur dit :

– Emballez tout !
Dépêchez-vous ! Formez une
gigantesque caravane ! Mettez
tous mes biens à l'abri !
Dépêchez-vous ! Allez ! Allez !
Allez ! Dépêchez-vous !!

Les gens se mettent à tout
emballer. Lui, il va voir sa femme
et lui dit :

– Ô ma bien-aimée,
ô ma lumière, ô ma colombe,
ô ma part de bonheur sur
la terre, ô lune parmi les étoiles,
ô rose parmi les jasmins,
ô étoile du matin, sache que
nous allons devoir nous séparer.

Ils ne s'étaient jamais quittés.

Mais elle a bien vu que c'était nécessaire. Alors elle l'a pris dans ses bras et a dit :

– Ô mon bien-aimé, pleurons. Pleurons les larmes amères de la séparation.

Et ils ont pleuré ensemble.

– Tu vas te joindre à la caravane. Tu vas partir. Vous allez vous mettre à l'abri, chez le roi voisin, mon cousin, en attendant.

Je resterai seul ici.

Il n'est resté avec lui dans
la maison qu'un vieux serviteur
trop vieux qui ne voulait pas
partir ; il gardait la maison toute
vide avec dedans seulement
un grand tapis tout troué,
tout mité, un vieux bahut trop
grand, trop pesant, c'est tout.

Et il est resté là pendant huit jours.

Au bout des huit jours, on frappe à la porte. Il ouvre et voit des officiers de la garde royale qui le saisissent, lui, le Grand Vizir ! Il est malmené pendant tout le chemin, jeté aux pieds du roi dans la salle du trône.

Le roi le regarde et crie :

– Je t'accuse de haute trahison !

– Mais je te suis fidèle !
Les gens veulent t'abattre
en m'abattant !
Je suis le pilier de ton royaume,
ô mon roi !

– Je ne te demande pas
d'explication !
Qu'on le jette en prison !
Qu'il y croupisse et qu'il
y meure !

On a voulu l'humilier.
On ne l'a pas jeté dans les premières prisons du premier sous-sol avec les politiques.
On ne l'a pas mis non plus au deuxième sous-sol avec les droits communs. Ni au troisième sous-sol avec les fous. On l'a mis au quatrième sous-sol, là où il n'y avait que le salpêtre, l'humidité, les crachats, une paillasse pourrie qui pue la pisse…

Mais ce n'était pas ça

qui était le pire.

Avec les rats et les cafards

pour seuls compagnons.

Mais ce n'était pas ça

qui était le pire.

La promiscuité avec un geôlier

pervers qui le regardait comme ça…

Mais ce n'était pas ça

qui était le pire.

Vous voulez savoir,

qu'est-ce qui était
le pire ?

Le pire, c'est que là, quand
il était au fond de sa prison,
il avait une envie terrible
de manger

un loukoum à

la pistache !...

Je sais, c'est idiot…
Mais c'était comme ça.
Ça lui était venu à l'esprit
et maintenant cela ne pouvait
plus le quitter ;
il y pensait toute la journée !
Il avait beau essayer d'enlever
cette idée de sa tête,

tout le lui rappelait !

Le salpêtre, par exemple,
le salpêtre blanc...
comme le sucre glace, sur
le loukoum à la pistache !
Les crottes de rat...
délicieusement oblongues,
comme les pistaches
du loukoum à la pistache !
Les auréoles de pisse...
vertes... comme le vert
du loukoum à la pistache !
Tout le lui rappelait !

Un jour, il est allé voir le gardien, ce gardien ignoble qui gardait sa geôle :

– Toi qui vas dehors, est-ce que tu peux me ramener un loukoum à la pistache ?

Et l'autre, pour une fois qu'il tenait un grand du royaume, il a dit :

– NNNonnn !

Et jour après jour, le vizir
demandait et jour après jour,
l'autre refusait.

Cela a duré sept ans.

Un jour, au bout de sept ans –
on ne sait pas pourquoi,
l'histoire ne le dit pas, peut-être
que c'est parce qu'un désir
qui dure sept ans, c'est rudement
impressionnant ; peut-être aussi
pour ne pas que nous désespérions
de la nature humaine…

En tout cas, au bout de sept ans,
cet homme, le geôlier, est arrivé
avec un loukoum à la pistache,
et l'a passé en même temps que
le rata des prisons.

Le vizir, quand il a vu

son loukoum

qu'il attendait depuis

sept ans !

Il a réfléchi, parce qu'il avait faim…
Il était obligé de manger
un peu de rata des prisons…
Mais vous savez, il y a deux écoles
dans la vie : il y a ceux qui
mangent le meilleur d'abord,
et ceux qui gardent le meilleur
pour la fin !
Lui, il a réfléchi et il s'est dit :

« *Si je mange d'abord le loukoum*
à la pistache, après je devrai

quand même manger du rata
pour passer ma faim, et j'écraserai
le goût du loukoum
que j'attends
depuis sept ans
par celui du rata que je mange
tous les jours !
Non ! Mieux vaut manger d'abord
le rata, et ensuite, quand je mangerai
le loukoum à la pistache, il m'éclatera
dans la bouche et j'en garderai
le goût tout l'après-midi !»

Il a donc mis

son loukoum, là,

à côté de lui, sur la paillasse,
et il a commencé de manger
son rata des prisons.

À chaque bouchée de rata
des prisons,
il regardait son loukoum
à la pistache avec amour !

Et il mangeait son rata des prisons,
et il regardait son loukoum
à la pistache avec amour !

Et il mangeait son rata des prisons,
et il regardait son loukoum
à la pistache avec amour !

À un moment donné,
pendant qu'il mangeait son rata
des prisons, il y a un rat
d'entre les rats des prisons
qui vient et se rue sur

le loukoum à

la pistache !

… pour le saisir,
mais vous savez, le loukoum
c'est mooou,
alors la patte est entrée

daaans le loukoum
à la pistache!

Et le rat a essayé de dégager
sa patte en appuyant avec
l'autre patte et les deux pattes
sont restées enfoncées

dans le loukoum
à la pistache !

Du coup le rat a perdu l'équilibre
et il a fait un

roulé-boulé

dans le loukoum à la pistache
et il a complètement

écrabooooouillé

le loukoum à la pistache
sous son poids,

et le pauvre, il a eu peur,

alors il a pissé de peur

dans le loukoum

à la pistache!

Et finalement il a répandu
de la pisse de rat,
du poil de rat,
de la poussière de rat
dans le loukoum à la pistache !

Bref, il l'a rendu

immonde…

Quand notre homme a vu ça, une
fulgurance a traversé son regard,
un sourire a illuminé son visage,
dans un silence intérieur…
Et puis tout à coup, il a frappé
la porte et a dit au geôlier :
**– Va chercher le vieillard qui
est resté dans la maison.**

Et quand le vieux a été là :
**– Va, fais prévenir, chez le roi
voisin, qu'ils peuvent revenir !**

Il ne s'était pas passé huit jours que le roi le fait sortir de sa prison et lui dit :

– Écoute, je viens d'arrêter les comploteurs, ils ont avoué qu'ils t'avaient calomnié pour affaiblir mon royaume.

Et moi qui t'ai gardé enfermé pendant sept ans !!!

Mon ami, unissons nos familles !
Que toujours tes enfants soient
les vizirs de mes enfants !
Veuille me pardonner...
Accepte cette robe d'honneur,
cette somme – je sais que cela
ne remplace pas la liberté que
je t'ai prise...

Le vizir s'est incliné
et est rentré chez lui.
Il a fait une fête.
Une fête à tout casser !
Une fête pour la lumière.
Une fête pour la liberté.
Une fête dans son jardin avec
sa femme, ses amis, le soleil,
la chaleur, le vent…

Pendant cette fête, ses amis sont
venus le voir et lui ont dit :

– C’est extraordinaire, huit jours
avant que tu ne tombes
en disgrâce, c’est comme
si tu l’avais su, tu as mis tes biens
de côté, tu as protégé
ta femme, les gens de ta maison ;
c’est étonnant.

Et huit jours avant que
tu ne remontes en grâce, c’est
aussi comme si tu l’avais su,
et tu leur as fait signe de revenir.

Mais enfin, explique-nous :
Comment as-tu su ?

Et il a répondu :
– Oh, ce n'est pas difficile :
quand j'étais dans le hammam
et que j'ai vu ma bague qui
restait à la surface de l'eau,
je me suis dit :
« Ça, c'est de la chance !
Plus de chance que ça ?
Il n'y a pas. »

Ma chance est au sommet
de la courbe, maintenant,
elle ne peut que descendre !
Et je me suis préparé
à la descente !
Quand, après sept ans de désir
de loukoum à la pistache,
j'ai vu qu'on m'amenait enfin
un loukoum mais qu'un rat venait
et le rendait immonde, je me
suis dit, c'est la fin ! c'est le fond !
Je ne peux que remonter !

Et je me suis préparé
à la remontée !
Et voilà toute l'histoire !

À la suite de cette histoire,
les sages d'Orient disent :

«En écoutant cette histoire, tu peux entendre que quand tu es en haut, tu n'y resteras pas toujours, et que, quand tu es en bas, tu n'y resteras pas toujours non plus !»

Histoire du vizir Caverscha (source)

Extrait de : *Les Mille et Un Jours – Contes persans*, traduits par François Pétis de La Croix (parus en 5 volumes, de 1710 à 1712). Ces contes sont donc contemporains des *Mille et Une Nuits* d'Antoine Galland.
Éditeur actuel : Christian Bourgois, 1980 (pages 88-89).

Un roi d'Hircanie, appelé Codavende, avait un vizir nommé Caverscha. Ce ministre, homme d'esprit supérieur et d'une expérience consommée, voulut un jour se baigner. Il était auprès de la cuve du bain, il tira de son doigt sa bague en badinant, et la laissa tomber par hasard dans la cuve ; mais au lieu d'aller au fond, elle demeura sur la surface de l'eau.

Caverscha, frappé de ce prodige, ordonna aussitôt à ses officiers d'enlever de sa maison toutes ses richesses, et de les aller cacher dans un lieu qu'il leur nomma, en leur disant que le roi son maître était sur le point de le faire arrêter. Effectivement, ses domestiques n'avaient pas encore emporté tous ses meubles, que le capitaine des gardes du roi arriva chez lui avec des soldats, et lui dit qu'il avait ordre de le mener en prison. Le vizir s'y laissa conduire, pendant qu'une partie des soldats se saisit de tout ce qui était resté dans sa maison. Ce malheureux ministre, que Codavende traitait ainsi sur de faux rapports, demeura plusieurs années dans les fers. Il n'avait pas la liberté d'entretenir ses amis. On lui refusait toutes sortes de consolations, et tous les jours le roi donnait quelque nouvel ordre qui augmentait la rigueur de sa prison.

Il avait envie depuis longtemps de manger du *rommanaschi*[1]. Il en demandait sans cesse, et l'on avait la cruauté de lui en refuser ; tant on s'attachait à le mortifier. Cependant un jour le concierge lui en porta par pitié, et lui en présenta dans un bassin de porcelaine. Le vizir, ravi d'avoir enfin ce qu'il avait si ardemment désiré, se disposait à contenter ses désirs, quand deux gros rats qui se battaient, venant à passer tout à coup auprès du *rommanaschi* qu'il avait mis à terre pour un moment, tombèrent dedans, et le rendirent immonde. Caverscha n'en voulut pas manger ; mais il envoya dire à ses domestiques d'aller reprendre ses richesses et de les reporter dans sa

1. C'est un mets où il entre des graines de grenade.

maison, parce que, disait-il, le roi son maître était prêt à le retirer de prison et à le rétablir dans son premier poste. Cela ne manqua pas d'arriver encore. Codavende lui rendit sa liberté dès le jour même, et l'ayant fait venir en sa présence, il lui dit : « J'ai reconnu votre innocence ; j'ai fait étrangler vos ennemis : je vous redonne ma confiance avec le rang que vous occupiez auparavant. »

Alors les amis de Caverscha, sachant ce qui s'était passé, lui demandèrent comment il avait su qu'il devait être arrêté, et ensuite délivré de prison. « Quand j'ai vu, leur dit le vizir, que ma bague au lieu de s'enfoncer demeurait sur l'eau, j'ai jugé par là que ma gloire était arrivée à son dernier degré, et que mon bonheur, ne pouvant plus croître, allait selon l'ordre du ciel se changer en adversité : ce qui s'est trouvé véritable. Lorsque dans ma prison j'ai demandé en vain si longtemps du *rommanaschi*, j'ai bien vu que mon malheur durait encore ; et enfin quand on m'en a apporté, les rats qui sont tombés dedans m'ont fait connaître que j'étais parvenu aux bornes prescrites à ma mauvaise fortune, et que ma douleur extrême serait bientôt suivie d'une parfaite joie. »

Dans l'art, les trouvailles les plus réussies nous échappent toujours.
J'ai changé le nom du gâteau parce que l'original ne me disait rien et voilà ce qui a causé le succès si durable de ce conte ! Avec ce fameux loukoum, l'effet comique s'est augmenté, ouvrant la porte à la truculence, au bonheur des mots et des rythmes, au plaisir de l'excès, au détail délirant.
J'ai tant habité ce conte qu'il est devenu mon drapeau et mon fétiche, et a fini par contenir tout mon style et ma palette de conteuse : tour à tour drôle jusqu'au grotesque, mais aussi doux, lyrique, profond et tendre. Je ne l'ai jamais fixé et il se modifie encore à chaque fois que je le dis : il est vivant.
De son côté, il a en quelque sorte « fait fortune », c'est-à-dire qu'il vit sa vie, bien au-delà de moi, circulant parmi les gens.
Avec le recul, je peux dire que ce conte exprime, de manière très profonde, le sens global de tout mon travail : distraire en enseignant. En cela, sa

magie est complète. Sur ce point, je me sens proche de la tradition de l'Inde, dont c'est le fondement de l'art du spectacle.

Sa richesse de sens est grande : on peut y entendre une critique sociale et politique sur le pouvoir et la liberté, un enseignement sur nos prisons intérieures ou notre capacité de résistance et, bien sûr, une vraie sagesse des cycles de la vie. Car on rit, mais personne ne s'y trompe, et il fait bon se souvenir de sa leçon quand on est « au fond de la piscine » ! À l'oral comme à l'écrit, il a déjà aidé bien des gens à traverser des moments difficiles et j'en ai reçu maints témoignages émouvants.

Pour moi, c'est cela la magie de cette histoire : faire rire en disant quelque chose d'aussi profond – et utile !

Catherine Zarcate

L'AUTEUR

Catherine Zarcate pratique son art grâce à une filiation naturelle. Elle fait partie des pionniers du renouveau du conte. Elle conte et forme de manière professionnelle depuis 1980. Dans ses spectacles, elle ne craint pas de plonger sans retenue dans des répertoires gigantesques tels *Les 1001 Nuits*, *L'Épopée d'Antar*, *Salomon et la reine de Saba*, les *Contes de Jade*.

Elle écrit aussi des spectacles, dont *Le Prince des Apparences* (édité ensuite chez Bayard Jeunesse) et *Les Fils du vent* (édité en CD). Elle tisse de nombreux répertoires au travers de *Bazar de nuit* et s'affronte à de grands textes mythiques tels *La Krishna Lila*, *Les Argonautes* ou *Isis et Osiris*.

S'accompagnant depuis trente ans de sa tampoura – bourdon à quatre cordes qui crée des harmoniques –, elle utilise cet instrument traditionnel indien comme une respiration. Elle a axé sa propre formation autour du travail vocal, de l'énergie de la parole, du mouvement, de l'approfondissement des questions de répertoire et de transmission.

Catherine Zarcate a publié trois recueils dans la collection « Paroles de conteurs » :

Marouf le Cordonnier (1996), *Le Loukoum à la pistache* (2000, 2003) et *Les Contes du vampire* (2005). En 2006 paraît chez Syros l'album *Le Buffle et l'Oiseau* : un conte de Catherine Zarcate illustré par Olivier Charpentier.

DANS LA COLLECTION

MiNi SYROS

Paroles de Conteurs

La Chachatatutu et le Phénix
Jean-Louis Le Craver

Le Grain de riz
Alain Gaussel

Le Rat célibataire
Manfeï Obin

L'Ogre gentleman
Praline Gay-Para

L'Éventail diabolique
Muriel Bloch